Les blagues à Bob

Créé par

Paru sous le titre original : *Nautical Nonsense*

Publié par PRESSES AVENTURE, une division de
LES PUBLICATIONS MODUS VIVENDI INC.
55, rue Jean-Talon Ouest, 2e étage
Montréal (Québec)
Canada H2R 2W8

Dépôt légal : Bibliothèque et Archives nationales du Québec, 2006
Dépôt légal : Bibliothèque et Archives Canada, 2006

Écrit et adapté par : Benoît Roberge

ISBN 2-89543-488-3

Nous reconnaissons l'aide financière du gouvernement du Canada par l'entremise
du Programme d'aide au développement de l'industrie de l'édition (PADIÉ)
pour nos activités d'édition.

Gouvernement du Québec — Programme de crédit d'impôt pour
l'édition de livres — Gestion SODEC

#5

Les blagues à Bob

version originale : David Lewman
version adaptée : Benoît Roberge

Presses Aventure

Pourquoi Bob s'est-il acheté un coffre-fort ?
Pour protéger ses bijoux de famille.

Pourquoi Bob est-il entré à l'hôpital psychiatrique ?
À cause de ses fous rires.

Qu'est-ce qui arrive quand on vit sous les mers ?
Il faut s'habituer à boire la tasse.

ɹelle éponge est la moins sociable de Bikini Bottom ?
Snob L'éponge.

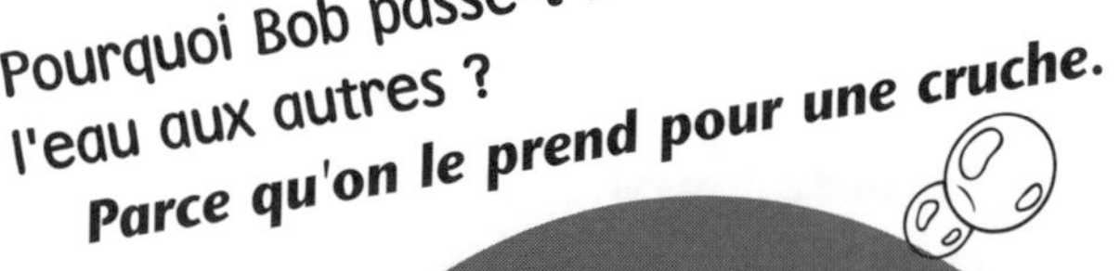

Pourquoi Bob passe-t-il son temps à servir de l'eau aux autres ?

Parce qu'on le prend pour une cruche.

Pourquoi Bob préfère-t-il l'eau salée ?

Parce que l'eau poivrée le fait éternuer.

Pourquoi Bob s'est-il déguisé en fantôme ?
Parce qu'on lui a dit qu'il manquait d'esprit.

À Bikini Bottom quelle est la grand
question autour du jus d'orange ?

Avec ou sans poulpe ?

À Bikini Bottom, quelle est l'activité
gratuite la plus populaire ?

Les glissades d'eau.

Pourquoi Patrick s'est-il acheté un télescope ?

Pour observer les étoiles de mer.

Comment Patrick dort-il la nuit ?

Sur de l'eau.

Quel personnage de science-fiction habite sous les mers ?

Le rob'eau.

Pourquoi Patrick a-t-il avalé un crayon ?

Pour avoir bonne mine.

Qu'est-ce que Patrick et un shérif ont en commun ?

L'étoile.

Qu'est-ce que le Hollandais Volant aime écouter ?

Des disques piratés.

Pourquoi Carlo joue-t-il de la clarinette dans une échelle ?

Pour jouer des notes hautes.

Quelle chanson joue Carlo pour réchauffer son public ?

«Feu feu joli feu».

Comment Carlo épelle-t-il le mot «désastre» ?

B-O-B-L-'-É-P-O-N-G-E.

Carlo : Quel est le jour préféré des habitants de Bikini Bottom ?

Bob : Le mer-credi.

Le client : Garçon! Pourquoi ce café goûte-t-il le sable !

Bob : Parce qu'il est a-mer.

Toc, toc, toc.

Qui est là ?

Robi.

Robi qui ?

Robinet, aidez-moi sinon je coule mes examens.

Comment le Hollandais Volant voit-il l'avenir ?

Il se fait du «sourcil».

ù Monsieur Krab rêve-t-il de
aire de l'alpinisme ?
Sur une montagne d'argent.

Pourquoi Bob se déguise-t-il en footballeur pour fuir Monsieur Krab ?
Parce qu'il en a plein son casque.

Pourquoi Monsieur Krab s'amuse-t-il avec une sacoche ?

Parce qu'il aime jouer à la bourse.

Pourquoi Monsieur Krab porte-t-il ses pantalons serrés ?

Pour être riche il faut se serrer la ceintu

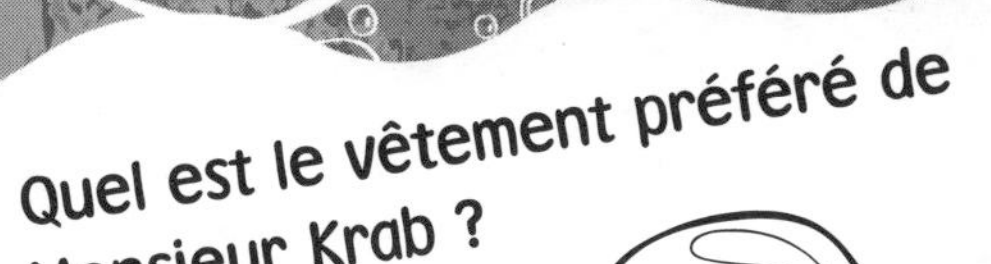

Quel est le vêtement préféré de Monsieur Krab ?

Les pantalons à pinces.

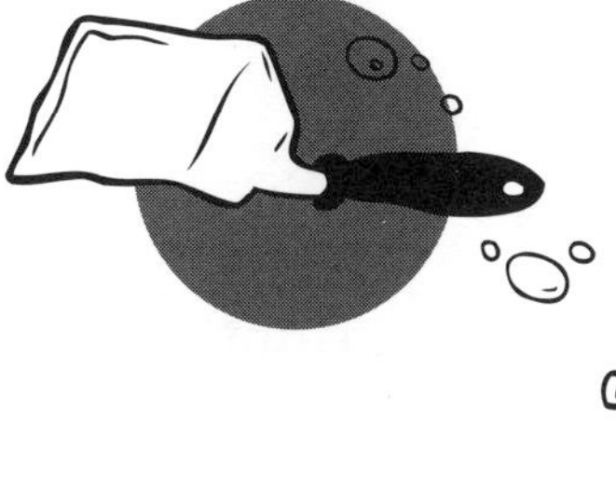

Que se passe-t-il avec le Hollandais Volant lorsqu'on le provoque ?

Il devient le Hollandais Violent.

Comment se font les choses avec Plankton ?

Petit à petit.

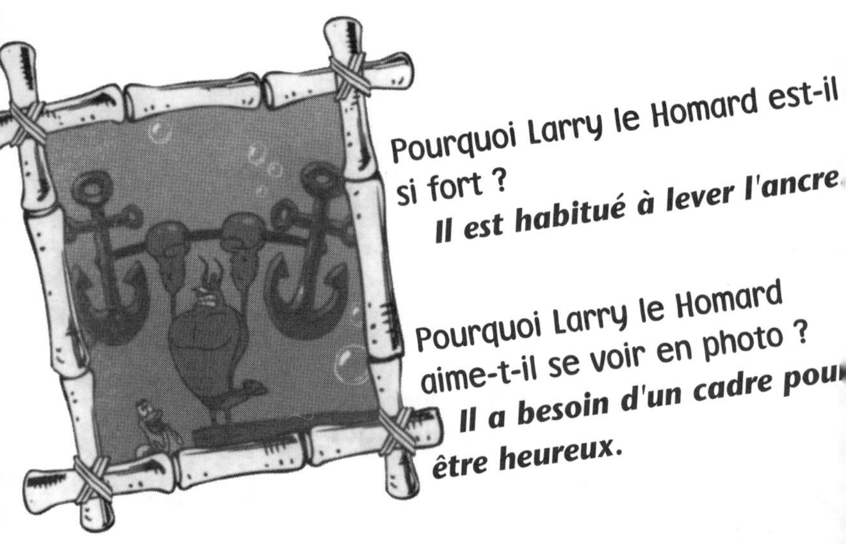

Pourquoi Larry le Homard est-il si fort ?

Il est habitué à lever l'ancre.

Pourquoi Larry le Homard aime-t-il se voir en photo ?

Il a besoin d'un cadre pour être heureux.

Comment se sent Bob dans son bateau ?

Au dessus de tout le monde.

Pourquoi Gary aime-t-il se connecter à internet ?
Parce qu'il peut enfin goûter à la haute vitesse.

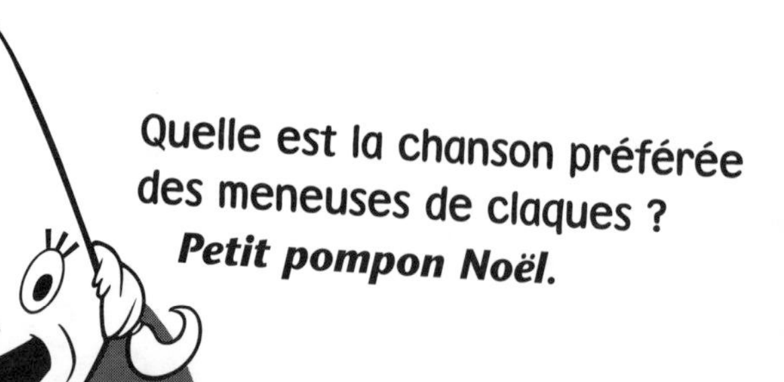

Quelle est la chanson préférée des meneuses de claques ?
Petit pompon Noël.

Quel est le livre préféré des facteurs de Bikini Bottom ?

Malle de mer.

Pourquoi le typhon s'énerve-t-il facilement ?

Il est habitué de faire une tempête dans un verre d'eau.

Comment se sent Bob avec Patrick ?

Il sent qu'il en a lourd sur les épaules.

Comment Gary trouve-t-il les blagues de tartare de thon ?

Assez crues.

Pourquoi Bob lance-t-il une bouteille à la mer ?

Il veut profiter du courant pour se faire connaître.

Pourquoi Bob commande-t-il trop de crème glacée ?

Parce qu'il a les yeux plus grands que la panse.

Pourquoi Bob s'est-il acheté des jumelles ?

Il veut se rapprocher des gens.

Pourquoi Mme Puff porte-elle des verres fumées en classe ?

Parce que ses élèves sont trop brillants.

Pourquoi Bob est-il un bon lutteur ?
Parce qu'il ne lâche jamais prise.

Quelle est la pire chose qui puisse arriver à un pirate ?
Avoir une graine dans l'œil.

Pourquoi les pirates sont-ils de grands séducteurs?
Ils sont bons pour faire de l'œil aux femmes.

Pourquoi Bob rêve-t-il d'être policier ?
Parce qu'il est l'expert des coups de filet.

Patrick : Pourquoi les méduses manquent-elles d'affection ?

Bob : Parce que personne ne veut les embrasser.

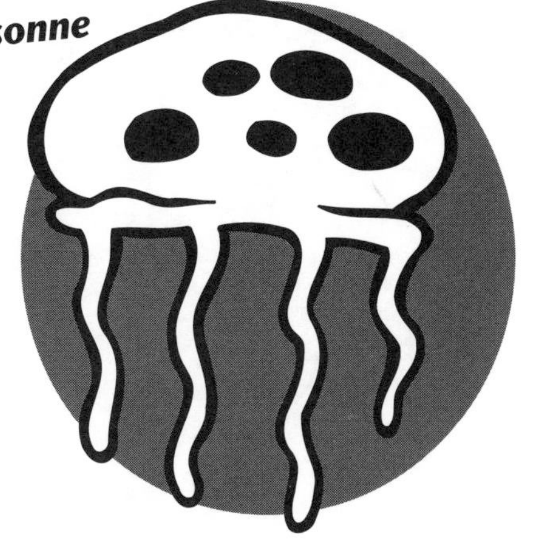

Bob : Comment attrape-t-on une méduse ?

Patrick : Il faut tout d'abord trouver quelqu'un capable de nous la lancer.

Patrick : Qu'est-ce qui fait ti-gal'eau, ti-gal'eau ?

Bob : Un cheval de mer.

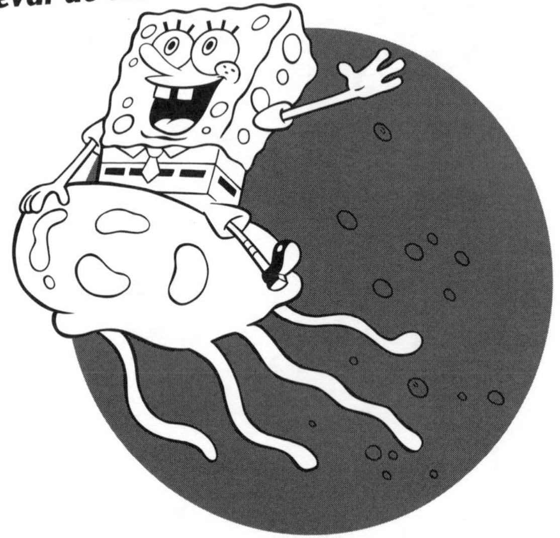

Patrick : Pourquoi la terre est ronde ?

Bob : Pour que les choses tournent bien.

Sandy : Pourquoi Patrick s'est-il acheté un bateau ?

Bob : Son patron lui a demandé d'atteindre sa vitesse de croisière.

Bob : Quel est le signe astrologique le plus populaire à Bikini Bottom?

Carlo : Poisson.

Livres à vendre !

Ovni !
par Adam Beechen

Bonne fête Bob L'éponge
par J-P Chanda

Camp Bob L'éponge
par Molly Reisner et Kim Ostrow

Mystère au Crabe Croustillant
par Steven Banks

Crème glacée surprise
adapté par Nancy Krulik

Bob L'éponge et la princesse
par David Lewman

La grande course d'escargots
adapté par Kim Ostrow

Sudoku - Casse-tête #1
par Craig Robert Carey

Mme Puff : Qu'est-ce qui fait battre le cœur d'un béluga ?

Bob : Une bélu-fille.

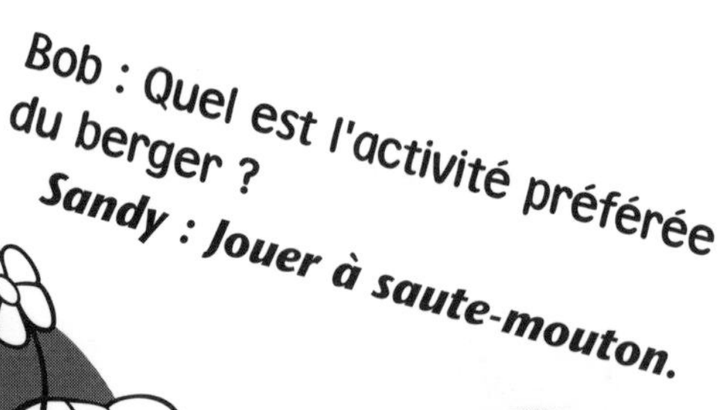

Bob : Quel est l'activité préférée du berger ?

Sandy : Jouer à saute-mouton.

Mme Puff : Comment peut-on combiner équitation et natation ?

Patrick : En s'achetant un cheval de mer.

Toc, toc, toc.

Qui est là ?

Pot.

Pot qui ?

Potager, le plus légume de tes amis.

Pourquoi Bob apparaît-il six foix ?
Parce que ses amis n'arrêtent pas de le copier.

Que se passe-t-il avec le Hollandais Volant lorsqu'il tombe dans la crème glacée ?
Il devient le Hollandais Collant.

Pourquoi le Hollandais Volant est-il facile à deviner ?
Parce qu'il est transparent.

Qu'arrive-t-il à Patrick et à Bob à force de faire des mauvais coups ?

Ils sont sur la corde raide.

Pourquoi Bob joue-t-il de la guitare ?

C'est sa seule façon d'obtenir une bonne note dans quelque chose.

Que se passe-t-il quand Bob se déguise en fille ?
Il devient «Robe L'éponge»

Pourquoi Bob court-il comme un fou ?
Son patron lui a demandé de rattraper le temps perdu.

Pourquoi Patrick a-t-il fait installer des roulettes sous sa roche ?

Pour la propreté, car pierre qui roule n'amasse pas mousse.

Que fait Bob en ce moment ?

Comme d'habitude, il fait le sot.

Quelle éponge est la plus
gourmande de Bikini Bottom ?
Gobe L'éponge.
Pourquoi Patrick se couvre-t-il la
tête pour dormir ?
Parce qu'il veut passer une
« bonnet nuit ».

Quelle éponge a fait le tour du monde ?
Globe L'éponge.
Carlo : Je cherche la personne la plus ennuyante de Bikini Bottom.
Bob : Regarde dans un miroir.

Patrick : Quel est le pire défaut de l'huître ?

Bob : Elle s'ouvre difficilement aux autres.

Bob : Quelle est la comédie musicale préférée des poissons ?

Patrick : Thon Juan.

Bob : Quel est le seul poisson qui possède un camion ?

Carlo : Le vidangeur.

Bob : Pourquoi l'océan est-il déprimé ?

Carlo : Parce qu'il a touché le fond.

À combien est évalué le trésor des pirates ?

Il est «or» de prix.

M.Krabs : Pourquoi la vie des poissons est-elle fragile ?

Bob : Parce qu'elle ne tient qu'à un fil.

Qu'est-ce qu'on obtient lorsqu'on mélange Dracula avec un pirate ?
Un vampirate.

Qu'est-ce qui arrive au drapeau de pirates lors d'une tempête?
Il est trempé à l'os.

Patrick : Comment apprend-t-on à faire du surf ?

Bob : On planche.

Que font Patrick et Bob ?

Ils essaient de parler plusieurs langues.

Quelle est la chanson thème de la varicelle ?

« Rock around the cloques »

Quelle est la seule chose que Bob peut briser sans faire de dégât ?

Le silence.

Carlo : Quel est l'auteur préféré de M.Krabs ?

Bob : William Chèque-Spear.

Où Plankton part-il en voyage

Dans la Petite Italie.

Patrick : Que fait-on cuire sur un bateau ?
Carlo : Des œufs à la coque.

Toc, toc, toc.

Qui est là ?

Dom.

Dom qui ?

Dommage mais le livre est terminé